# 中华人民共和国行业标准

# 高浊度水给水设计规范

## CJJ 40-91

## 条文说明

主编单位：中国市政工程西北设计院

（限国内发行）

中国建筑工业出版社

1991 北京

中华人民共和国行业标准
**高浊度水给水设计规范**
CJJ 40-91
条 文 说 明
（限国内发行）

\*

中国建筑工业出版社出版、发行（北京西郊百万庄）
各地新华书店、建筑书店经销
北京市兴顺印刷厂印刷

\*

开本：850×1168毫米 1/32 印张：1 3/8 字数：34千字
1992年2月第一版 2008年5月第二次印刷
印数：3201—6200册 定价：**10.00元**
统一书号：15112·14721
**版权所有 翻印必究**
如有印装质量问题，可寄本社退换
（邮政编码 100037）
本社网址：http://www.cabp.com.cn
网上书店：http://www.china-building.com.cn

# 前　言

根据原城乡建设环境保护部（85）城科字239号文的要求，由中国市政工程西北设计院主编的《高浊度水给水设计规范》（CJJ 40-91），经建设部1991年5月17日以建标［1991］332号文批准，业已发布。

为便于广大设计、施工、科研、学校等单位的有关人员在使用本标准时能正确理解和执行条文规定，《高浊度水给水设计规范》编制组按章、节、条顺序编制了本标准的条文说明，供国内使用者参考。在使用中如发现本条文说明有欠妥之处，请将意见函寄中国市政工程西北设计院。

本《条文说明》由建设部标准定额研究所组织出版发行，仅供国内使用，不得外传和翻印。

# 目　　次

| | |
|---|---|
| 第一章　总则 | 1 |
| 第二章　取水 | 4 |
| 　第一节　一般规定 | 4 |
| 　第二节　取水构筑物的型式选择 | 7 |
| 　第三节　取水泵房 | 8 |
| 第三章　沉淀流程的选择 | 10 |
| 　第一节　一般规定 | 10 |
| 　第二节　一级沉淀处理流程 | 11 |
| 　第三节　两级沉淀处理流程 | 16 |
| 第四章　水处理药剂 | 18 |
| 　第一节　一般规定 | 18 |
| 　第二节　聚丙烯酰胺溶液的配制 | 18 |
| 　第三节　聚丙烯酰胺的投加方法和剂量 | 20 |
| 第五章　沉淀（澄清）构筑物 | 22 |
| 　第一节　一般规定 | 22 |
| 　第二节　沉砂池 | 22 |
| 　第三节　混合、絮凝池 | 23 |
| 　第四节　辐流式沉淀池 | 23 |
| 　第五节　平流式沉淀池 | 24 |
| 　第六节　机械搅拌澄清池 | 25 |
| 　第七节　水旋澄清池 | 26 |
| 　第八节　双层悬浮澄清池 | 27 |
| 　第九节　调蓄水池 | 27 |
| 第六章　排泥 | 28 |
| 　第一节　一般规定 | 28 |

第二节　泥渣浓缩设计参数 …………………………… 28
第三节　刮泥设备 ……………………………………… 29
第四节　泥渣排除 ……………………………………… 31
第五节　吸泥船 ………………………………………… 33
附录 ……………………………………………………… 35

# 第一章 总 则

**第1.0.1条** 国内对高浊度水沉淀问题的研究自50年代开始进行。经过不少单位研究，有一定的成果，主要的著作有：

沙玉清同志著《泥沙运动学引论》（1965年出版）；

李圭白等同志自1962～1981年发表过十余篇高浊度水、次高浊度水的静水、动水沉淀试验总结文章；

费渭泉、岳舜琳等同志经十余年试验和生产测定，在1974年与1979年发表《聚丙烯酰胺处理黄河高浊度水》等总结文章；

张有威等同志在1965年提出《高浊度水自然沉淀池的水力计算方法》一文；

原西北给水排水设计院也发表过数篇高浊度水沉淀研究的总结文章。

但由于种种原因，对高浊度水的研究工作，在深度和广度上均需进一步完善。如对高浊度水的定义和范围问题，由于河流泥沙特性和试验方法的差异，到会的专家提出不同的看法。

这次规范中定的高浊度水定义是经过多次验证，并综合以上研究成果，结合黄河上、中、下段的差异条件等因素，给高浊度水下的定义。

**第1.0.2条** 编制本规范的资料依据大部分是黄河流域的给水工程和国内有关的科研、生产、试验成果，对其它水系未进行系统研究。但黄河水系的高浊度水是我国高浊度水系中最有代表性的水系，流域面积为$74.5 \times 10^4 km^2$，总的控制面积达$250 \times 10^4 km^2$。在一般情况下，解决了黄河水系的高浊度水处理问题，对其它河流的高浊度水处理问题就迎刃而解。因为在高浊度水的特性上，基本概念是一致的。

但在编写本规范时，对其它水系高浊度水的取水和净化上，还有不少问题需要今后进一步做工作。所以指明本规范主要适用于黄河水系是切合实际的，等今后条件成熟，可取消此段内容。

**第1.0.3条** 在高浊度水处理流程中，取水、处理工艺、调蓄水池是三个主要环节，如果把三个问题解决好了，整个给水工艺就有了保证。

从以往建成的工程分析：有12个工程增设第一级沉淀池后方能有效地处理高浊度水；有2个工程由于池型选择不当，根本无法处理，为此，强调这三个环节是十分必要的。

**第1.0.4条** 本条是为了强调高浊度水处理流程中供水保证率的重要性，因为高浊度水河流的给水工程，影响供水保证率的因素很多，如不作出明确的规定，势必造成供水保证率降低，影响城市供水和工厂生产。以郑州铝厂三水源为例：取黄河水为水源，取水点有脱流问题，岸边取水口的水量设计保证率仅为45%～82%，含砂量 $100kg/m^3$ 的保证率约为70%，含砂量 $163kg/m^3$ 时，保证率为50%，目前国内混凝沉淀的处理方法，比较有把握的处理含砂量为 $100kg/m^3$。所以，不修建大型调蓄水池则供水保证率很低，但降低供水保证率会影响生产。例如：兰州西固水厂给合成橡胶厂供了2h不合标准的水，使一批橡胶报废，损失了160万元，可见供水保证率的重要性。这仅仅是一个厂的损失情况，西固整个工业区的情况就更严重了，所以在设计工作中应根据实际情况，采取提高供水保证率的措施。

在一般情况下，处理高浊度水的造价要高于地下水净化的费用。因此，优先使用地下水在高浊度水流域，显得更为重要。当然使用地下水的工程，不属于本规范的内容，本条内容主要强调在地下水量不丰富的地区，地下水源只作为在砂峰时使用或地面水脱流期或断流期开采使用，补充部分调蓄水量，而其它时间作为恢复期，使地下水得到补充。这样既解决了部分调蓄水，又解决了夏季需用低温水的问题。宜阳化肥厂给水就采取了这种方案，一期工程生产上用地面水、生活上用地下水；二期工程生产、生活都用地面水，地下水源则作为避砂峰时使用。

**第1.0.5条** 处理高浊度水的关键是投药和池内泥渣平衡（即及时排泥措施）。要达到以上两个条件必须采用机械的方法。

近十余年来黄河水系上已建的大、中型水厂，投药、排泥都采用机械操作，大大减轻了劳动强度，保证了生产。由于高浊度水来势猛，变化快，即使采用了机械操作，也难保不出问题。例如原水含砂量的监测和预报、池内积泥的快速计算或测定、按原水水质流量投加药剂等工作的半自动或自动化未能解决，不少水厂在生产运行上仍然出现这样或那样的问题。因此，逐步解决自动化的问题，是当务之急，必须引起重视。

**第1.0.6条** 为了突出本规范的处理高浊度水的重点，避免与相邻规范内容的重复，有关处理高浊度水的与相邻已公布的规范有重复的条款，本规范一般不再列入。

# 第二章 取 水

## 第一节 一般规定

**第 2.1.1 条** 本条中取水量因素之三的实例，在黄河上游段的给水工程中较少，因黄河上游的净水工艺设调蓄水池的不多，而在中、下游较多。

如郑州铝厂给水设置 $20 \times 10^4 \sim 30 \times 10^4 m^3$ 的调蓄水池，郑州市自来水公司设置调蓄兼预沉的平地大型水池，其容量为 $300 \times 10^4 m^3$，开封自来水公司和胜利油田净水厂的调蓄水池容积更大，因此取水泵房的取水量必须考虑调蓄水池用完后，在某一时期内的恢复水量。

**第 2.1.2 条** 在以往的工程实例中，利用某一水文站的资料推算附近取水点的水文参数勉强可使用。但这些水文参数的精确程度比较低，往往不能满足设计要求，尤其是大型工程更显得不足，含砂量在区间内无支流汇入时，上游水文站的资料是可以应用的，出入不大，当有支流汇入时，就需补测，其它如冰凌、河床断面等均需观察。如兰州西固一期工程、白银水厂、石咀山电厂水源、兰州钢厂水源、靖远电厂水源等都进行了不同项目的补测为设计提供可靠的资料。监测和预报是为水厂处理高浊度水提前作好准备而设置的措施。因为高浊度水砂峰形成时间较短，往往几小时内含砂量可从几公斤上升到几百公斤，而且出现时间大都在晚上，如果没有预报，就会造成药剂无准备，排泥未跟上等现象，砂峰一来措手不及，造成浑液面上翻而出浑水，池内积泥过厚使刮泥机无法运转等后果，被迫停产。兰州西固水厂的预报工作开展较好，它和黄河的支流湟水上的享堂水文站建立了预报制度，因为湟水的含砂量大，对西固水厂造成的威胁也大。所以，做好高浊度水的支流预报工作也很重要。西固水厂另在黄河主流上和小川、上栓两水文站建立了联系，用水文电报及时提供水文情报，保证了安全运行。

**第2.1.3条** 取水点上游修建水库后，如果这个水库是年调节的，那末下游河道的流量变化趋向均衡，大大削减了洪峰流量，高水位也相应降低，最小流量及水位按水库运行制度确定。含砂量一般在水库运行初期，由于大量泥砂沉积在库区，下泄泥砂较少，后期，水库定期排砂时，下游河道的泥砂又开始增加。但有的水库下游至取水点中间有一条或几条含砂量较高的支流，由于主流流量减少，反而造成取水点的含砂量增高。另外，建库后的出流水温一般都略有增高，原有冰凌的河段就不再出现冰凌。因此，在设计中应考虑建库后水文条件的变化。

**第2.1.4条** 概括了高浊度河流的普遍规律，条文指出高浊度河流的取水工程在设计中必须重视并予以解决的问题。

**第2.1.5条** 黄河典型的游荡性河段其范围约几公里至十公里。在这种河段选择取水口位置时，工作必须做得细致。有条件的河段应根据调查或实例的历年主河道中心位置绘制综合图。在图上可以明确地看出，主流线稀、密间隔呈藕状，线段密集的地方即藕节处就是主流经常经过的地点，取水比较可靠。在实际工作中，黄河昭君坟河段包钢的取水设计和郑州铝厂弧柏咀取水口位置的选择都采用了这种方法。

黄河取水的主要问题是泥砂和冰凌。这两个因素是一对矛盾，从泥砂的角度看，取水点应选在凹岸，利用横向环流取得上层较清的水质，但是从冬季取水使冰水能分层的要求看，取水点河段的流速宜小不宜大，而凹流的流速一般都较大，冰水不易分层。为了协调这一矛盾，提出了如条文所述比较理想的河段，但需全面考虑河道在洪、中、枯水位时，主流顶冲点位置的变化。在冰凌十分严重的河段，应重点解决冰凌的问题。

**第2.1.6条** 本条所列的取水条件十分不利。一般应在设计中避免。但在取水河段附近找不到更合适的条件而必须在上述比较恶劣的条件下取水时，为了保证取水的可靠性可以设置两个取水构筑物。

包头钢铁公司取用黄河昭君坟河段的黄河水，该段河流左右摇摆不定，甚至在枯水期，黄河主流也变化，每日都有变动，最高含砂量达 $70kg/m^3$。冰情严重，最大冰块达 $160m^2$，经常造成冰坝，最大冰块厚度可达 1m，在冰层下软硬冰花总厚最大为 0.9m，软硬冰花下又有带冰屑（水内冰）的流动冰花，最深为 1.2m，底冰最厚也可达 1.1m，条件十分恶劣。该企业需水量近期为 $7.32m^3/s$，远期为 $10.32m^3/s$，在上下游数十公里范围内均系土质河床，主流游荡可离主槽几公里以外。而在昭君坟一带近百年来黄河没有改道，所以在靠近左岸和右岸石露头处，各设一个河心桥墩式取水口，每个取水口的取水量为设计水量的 75%。使用几年后，因河道摆动有一个取水口已经登陆，取不上水，又兴建了第三个取水构筑物。

**第 2.1.7 条**　高浊度水含砂量大，如取水采用取水头部、自流管、集水井后，泥砂容易沉积引起淤积和堵塞，如兰州石油化工机械厂的取水泵房由二根自流管直接引入泵房和水泵连接，运转数年，因自流管头部固定桩和进水喇叭口附近发生淤积，自流管内也产生淤积，直至最后无法使用。包头钢铁公司取水管自流管内也发生过淤积现象。黄河上大部分取水工程都不设取水头部、自流管、集水井，而直接从河道取水，使用情况良好。

**第 2.1.8 条**　黄河的冲刷深度按规定的要求，都应通过模型试验确定。但大部分工程因受条件限制都无法进行模型试验，常采用计算和调查研究相结合的方法确定。

黄河在发生高含砂时，在某些河段会产生"揭底"现象。揭底"是淤积和冲刷在某些河段的一种特殊规律。在黄河龙门、韩城一带发生的次数较多，郑州也曾出现。"揭底"是黄河的一种特殊现象，对工程的破坏作用较大，必须在设计时引起重视。

**第 2.1.9 条**　黄河经过中游段后，泥砂量显著增加，如兰州段黄河每年平均含砂量为 $3kg/m^3$，但龙门段的年平均含砂量激增至 $32kg/m^3$，进入下游后黄河开始淤积。据黄委会的资料介绍，黄河每年有 $\frac{3}{4}$ 的泥砂被送到海口，不断地扩大黄河在入海处的淤积陆地，其余 $\frac{1}{4}$（约四亿吨/年）的泥砂便在下游淤积，使河床逐年升高，下游河段的河床一般高出地面 3～5m，个别地段如河南封邱段竟高出地面 10m，现在黄河下游河床每年逐步提高，如黄河郑州段河床平均每年淤高 10cm 左右，取水构筑物设计必须考虑这一因素。郑州铝厂和郑州市自来水公司工程设计中，考虑了 20 年的总淤积高度，洪水位也相应提高。

**第 2.1.10 条** 根据水利部黄委会黄工字（1980）年第 5 号文件的规定，凡在黄河下游新建或扩建给水工程均需上级主管部门和黄河河务局提出审查意见，报黄河水利委员会批准。

## 第二节 取水构筑物的型式选择

**第 2.2.1 条** 高浊度水的取水工程可不设取水头部、自流管、集水井，故常用岸边合建式取水构筑物直接从河道内取水。中型工程的取水泵房以圆形为多，如兰州维尼纶厂、白银厂、包头市东河区给水工程等取水泵房；大型取水泵房则以矩形为多，如兰州西固水厂、郑州铝厂等取水泵房。

**第 2.2.2 条** 本条为避免设自流管主要强调桥墩式取水构筑物直接从主河道取水，而以压力管通过栈桥上岸。例如宁夏石咀山电厂的取水泵房。包钢取水工程由于主流经常左、右移动，为此在右岸设置潜丁坝等导流构筑物，把枯水期右移的主流逼至左岸，保证 1 号取水口正常运行。

活动式取水构筑物可取水质较好的上层水，如黄河兰州段的两条取水泵船（刘家峡化肥厂），$20 \times 10^4 m^3/d$ 钢筋混凝土泵船取水（兰州钢厂），中游大禹渡电灌站的泵车式泵站取水，三门峡下游 $7.0 \times 10^4 m^3/d$ 两条取水泵船（中条山有色金属公司）等浮动式取水构筑物。由于存在浮船本身的操作问题，浮动取水只能在黄河有条件的河段上采用。

**第 2.2.3 条及第 2.2.4 条** 是根据兰州市西固水厂的设计和运转资料编写的。

原甘肃机械厂进水斗槽，因位置选择不当，又未做过水工模型试验，使用不久就被泥砂淤积，无法清除，致使工程报废。

**第 2.2.5 条** 为了防止底部推移式泥砂进入引水渠道，应设置导砂槛，以提高进水闸闸底标高。

在寒冷地区对预沉和排水渠道的要求，根据青海省西宁市西川水厂实例编写。

### 第三节 取 水 泵 房

**第 2.3.1 条** 控制进水口底部标高的目的在于防止淤积和推移质泥砂进入进水间，实例：包头镫口取水泵房进水间底栏距河床 2.0m，西北铁合金厂也是 2.0m，但西固水厂取水泵房的底栏距斗槽底只有 0.5m，在加强管理时，运行也可正常。从安全考虑为防止卵石进入进水间，条文中仍定为不小于 1.0～2.0m，但在河道水深较浅的河段，可采用不小于 0.5m。

**第 2.3.2 条** 根据西固水厂的试验编写。格栅设在进水口外侧推移质泥砂不易进入进水间或在格栅前堆积。

**第 2.3.3 条** 根据西固水厂的运行经验编写。

**第 2.3.4 条** 当中型取水泵房为矩形时，从布置上考虑，常采用一个进水间负担一台泵，而圆形泵房就可负担两台泵，如兰州维尼纶厂、白银厂、包头镫口的取水泵房。当大型取水泵房每台取水量为 2.0～3.0m³/s 时，进水口格网面积是决定因素。如西固水厂一台 48Sh 的水泵，在进水室前要设 2 台旋转格网才能满足要求，其次，从检修考虑也有必要单独设进水间。

**第 2.3.5 条** 该数据来自西固水厂国外设计图纸和原建工部北京水院设计的格网标准图。根据西固水厂的生产实践，格网下应有大于 40cm 的空间，以便于检修、拆卸。其次是每块格网的轴要磨损，最大为 0.5cm，共 52 块，则格网总下垂量约 25～30cm，要留有 40cm，才能保证安全生产。

西固水厂及白银厂一水源的格网下空间均设有挡板，原意是避免进水短路，但在实际运行中，发现网前堆积了大量泥砂，压在旋网上，使格网变形，轴磨损，检修工作量大，白银水厂一水源已将旋网拆除，西固水厂将挡板割除后矛盾解决，原北京水院设计的标准图下面无挡板。

**第2.3.6条** 格网至泵口距离不宜太小，如泵口距格网过近，则水泵进口流速对过网流速影响也大，但距离不宜太大，以免增加排泥的困难。实例如靖远电厂泵房为1.30m，郑州铝厂水源为2.5m，西固水厂为3.0m。

**第2.3.7条** 目的是使沉积在底部的泥砂由水泵抽吸排除。

**第2.3.8条** 格网至泵吸口的距离小于2.5~3.0m时，泥砂只要稍微冲动，就可由水泵抽吸排除。如西固水厂取水泵房，当格网至泵吸口距离大于3.0m时，积泥严重，必须设专用冲泥、排泥设备，才能排除泥砂。如兰州维尼纶厂、白银水厂一水源、包头镫口水源泵房等，都是采用空压机和排泥水泵等设施，排除泥砂。

**第2.3.9条** 选用低转速、耐磨的水泵和衬涂、耐磨材料等，都是防止泥砂磨蚀水泵，增加水泵寿命的较好方法。如黄河中、下游的给水泵房中取水泵，叶轮寿命仅700h左右，泵壳寿命约半年左右，就发现磨蚀穿孔的现象，采取上述措施后可以大大增加水泵的使用期限。

增加水泵的备用能力是因为高浊度的泥砂水比重较大，水泵损耗快，使用一般清水泵，流量和扬程都有下降，故需增加备用率来补足以上的损耗数值。另外由于高浊度水期间排泥水等都有较大的变化，采用大小水泵搭配，可节约能源，降低处理成本。

# 第三章 沉淀流程的选择

## 第一节 一般规定

**第3.1.1条** 据我院调查的黄河水系46个工程项目,其中投产见效的37个。按原设计工艺流程建成投产运行正常或基本正常的仅12个(详见表3.1.1),其中大部分项目是60年代前建成,不少工程近年正在改建或改建后又投产,采取的措施有增设预沉池和调蓄水池等。因此,工艺流程应正确地选择。

有些工程对汛期的高浊度水未采取措施或不能有效地进行处理,已有12个工程增设预沉池来解决高浊度水的问题,例如青海省西宁山川铸造厂采用水力循环澄清池,根本无法处理湟水支流北川河高达近百公斤每立方米的浑浊水。

黄河在冬季河水较清,仅20～30度,水温约为0℃,低温、低浊水使水处理构筑物运行困难,一些构筑物形不成活性泥渣,致使不能保证出水水质,这些情况,在设计的处理构筑物中都应全面考虑。

**第3.1.2条** 本条根据现行的《室外给水设计规范》(GBJ 13)第122条改写,主要强调在高浊度水处理流程中,原水的含砂量等水文条件对正确地选择流程起的重要作用。

**第3.1.3条** 本条根据现行的《室外给水设计规范》(GBJ 13)第123条改写,其中"自用水量"改为设计含砂量时的"自用水量。

本条中增加几个专用名词,其解释和主要意义如下:

一、本条中设计含砂量是指通过净化、调蓄等手段后能达到的含砂量标准;

二、在考虑水厂生产能力时,增加在两个砂峰之间向调蓄水池供给补充水,有些工程补充水量可使水厂能力增大30%,必须引起注意；

三、有些设计在砂峰时的排泥水量约为出水量的50％，但在平时排泥水量则较小，若不考虑这种变化，则会对生产产生不利的影响。

**第3.1.4条** 一、各水处理构筑物的设计进水含砂量要进行技术经济比较后确定。如：确定设计含砂量的数值，将影响调蓄水池的容量，要经过技术经济比较后确定一个合适的含砂量；

二、实践中应用情况如：一级沉淀池投加聚丙烯酰胺后出水水质约为100～1000mg/L；但二级沉淀池进水往往考虑3～5kg/m³，以保证出水水质。

### 第二节 一级沉淀处理流程

**第3.2.1条** 一级沉淀工艺就是传统使用的净水工艺，为了与本规范中二级沉淀工艺相对应，所以在本规范中，把传统工艺都称为一级沉淀工艺。

**第3.2.2条** 根据表3.1.1资料整理的数据。

**第3.2.3条** 一级沉淀(或澄清)构筑物最高能处理80kg/m³的原水，黄河水系的大多数河段在汛期均要超过此值，因而应修建浑水调蓄水池或清水调蓄水池，如兰钢水厂修建调蓄水池，延安水厂原设计有调蓄水池，但未同时修建，造成汛期供水困难，实际证明还需要修建调蓄水池。

表 3.1.1 黄河水系已建水厂概况

| 省 | | 单位 | 供水量 (×10⁴m³/d) | 规模 | 供水对象 | 沉淀级数 | 是否投加聚丙烯酰胺 | 原设计能否保证出水水质 | 设计单位 | 净水构筑物类型 | | | | | | | | 取水河流 | |
|---|---|---|---|---|---|---|---|---|---|---|---|---|---|---|---|---|---|---|---|
| | | | | | | | | | | 辐流 | 加速旋流 | 水 | 悬浮 | 大型水库 | 平流 | 斜管 | 隔板 | 渠道 | 其它 | 河段 | 河别 |
| 1 | | 2 | 3 | 4 | 5 | 6 | 7 | 8 | 9 | 10 | 11 | 12 | 13 | 14 | 15 | 16 | 17 | 18 | 19 | 20 | 21 |
| 青海省 | 1 | 西安西川化厂 | 6.0 | 中 | 生产、生活 | 1.5 | 加 | | 兰州院 | △ | | | | | | | | | 原脉冲 | 上海 | 西川河 |
| | 2 | 青海电化厂 | 1.0 | 小 | 生产、生活 | 1.5 | 加 | | 兰州院 | | △ | | | | | | △ | | | 上游 | 湟水 |
| | 3 | 青海造纸厂 | 1.0 | 小 | 生产、生活 | 1 | 加 | | | | | | | | | | | | | 上游 | 湟水 |
| | 4 | 西宁氮肥厂 | 0.7 | 小 | 生产、生活 | 1 | | | | | | | | | △ | | | | | 上游 | 湟水 |
| | 5 | 青海毛纺厂 | 1.2 | 小 | 生产、生活 | 2 | 加 | | | | | | | | | | | | | 上游 | 湟水 |
| | 6 | 山川铸造厂 | 0.8 | 小 | 生产、生活 | 1 | | | | | △ | | | | △ | | | | 水力 | 上游 | 北川河 |
| | 7 | 黎明化工厂 | 2.0 | 小 | 生产、生活 | 1 | 加 | | | | △ | | △ | | | | | | | 上游 | 北川河 |
| | 8 | 民和镁厂 | 0.6 | 小 | 生产、生活 | 1改2 | | | | | △△ | | | | △△ | | | | | 上游 | 大通河 |
| | 合计 | | 13.3 | | | | | | | | | | | | | | | | | | |
| 甘肃省 | 1 | 西北铁合金厂 | 3.0 | 小 | 生产、生活 | 1 | 加 | 能 | 兰州院 | | △ | | | | | | | | | 上游 | 大通河 |
| | 2 | 畚街水厂 | 0.5 | 小 | 生活 | 1.5改2 | 加 | | | | | | △ | | | | | | 立式水力 | 上游 | 大通河 |
| | 3 | 连城铝厂 | 1.2 | 小 | 生产、生活 | 1 | | | 兰州院 | | | | | | | | | | | 上游 | 大通河 |
| | 4 | 海石湾铝厂 | 1.2 | 小 | 生产、生活 | 1改2 | 加 | | | | △ | | △ | | | | | | | 上游 | 大通河 |
| | 5 | 红古氮肥厂 | 1.5 | 小 | 生产、生活 | 1 | 加 | | 兰州院 | | △ | | | | | | | | | 上游 | 湟水 |
| | 6 | 刘家峡化肥 | 2.0 | 小 | 生产、生活 | 1改2 | 加 | | 兰州院 | | △ | | △ | | | | | | | 上游 | 黄河 |
| | 7 | 盐锅峡化工 | 2.0 | 小 | 生产、生活 | 1 | 加 | | 兰州院 | | △ | | △ | | | | | | | 上游 | 黄河 |
| | 8 | 维尼纶厂 | 3.6 | 大 | 生产、生活 | 2 | 加 | | 二期兰州院 | | △ | | △ | | | | | | | 上游 | 黄河 |
| | 9 | 西固水厂 | 98.0 | | | | | | | | △ | | | | | | | | | 上游 | 黄河 |
| | 10 | 石油化工机械厂 | 1.0 | 小 | 生产 | 2 | 加 | | 兰州院 | | △ | | | | | | | | | 上游 | 黄河 |

续表 3.1.1

| 1 | 2 | 3 | 4 | 5 | 6 | 7 | 8 | 9 | 10 | 11 | 12 | 13 | 14 | 15 | 16 | 17 | 18 | 19 | 20 | 21 |
|---|---|---|---|---|---|---|---|---|---|---|---|---|---|---|---|---|---|---|---|---|
| | 11 | 兰州一毛厂 | 0.8 | 小 | 生产 | 1.5 | 加 | | 兰州院 | | | | | | | | | | 上游 | 黄河 |
| | 12 | 东方红铝厂 | 0.3 | 小 | 生产 | 1 | 加 | | 兰州院 | | △ | 加斜管 | | | | | | | 上游 | 黄河 |
| | 13 | 3512厂 | 1.5 | 小 | 生产 | 1 | 加 | | 兰州院 | | | △ | | | | | | | 上游 | 黄河 |
| | 14 | 日用化工厂 | 0.5 | 小 | 生产 | 1 | 加 | | 兰州院 | | 水力加速 | △ | | | | | | 悬浮改 | 上游 | 黄河 |
| | 15 | 东站水源 | 1.0 | 小 | 生产 | 1 | 加 | 能 | 兰州院 | △ | | | | | | | | 水 力 | 上游 | 黄河 |
| 甘 | 16 | 甘肃机械厂 | 15.0 | 大 | 生产,生活 | 2 | 加 | 未建成 | 兰州院 | | | | | | | | | | 上游 | 黄河 |
| 肃 | 17 | 红星机械厂 | 0.2 | 小 | 生产,生活 | 1 | 加 | 未投产 | 兰州院 | | △ | △ | | △ | | | | | 上游 | 黄河 |
| 省 | 18 | 兰州钢厂 | 3.6 | 小 | 生产 | 1 | 加 | 能 | 兰州院 | | △ | △ | | | | | | | 上游 | 黄河 |
| | 19 | 白银一水源 | 8.0 | 中 | 生产,生活 | 2 | 加 | | 兰州院 | △ | △ | △ | | | △ | | | | 上游 | 黄河 |
| | 20 | 白银二水源 | 8.0 | 中 | 生产,生活 | 2 | 加 | 未建成 | 兰州院 | | | | | | | | | | 上游 | 黄河 |
| | 21 | 靖远电厂 | 5.0 | 中 | 生产,生活 | 2 | 加 | 能 | 兰州院 | △ | △ | △ | | | | | | | 上游 | 黄河 |
| | 22 | 靖远氮肥厂 | 0.5 | 小 | 生产,生活 | 2 | 加 | | 兰州院 | | | △ | | | | | | | 上游 | 黄河 |
| | 23 | 903厂 | 0.9 | 小 | 生产,生活 | 1 | 加 | | 兰州院 | | | △ | | | | | | | 上游 | 黄河 |
| | 24 | 279厂 | 1.5 | 小 | 生产,生活 | 1 | 加 | | 兰州院 | | | | | △ | | | | | 上游 | 黄河 |
| | 25 | 八盘峡电厂 | 1.5 | 小 | 生产 | 1 | 加 | | 兰州院 | | | | | | | | | | 上游 | 黄河 |
| | 合计 | | 162.4 | | | | | | | | | | | | | | | | | |

续表 3.1.1

| 1 | | 2 | 3 | 4 | 5 | 6 | 7 | 8 | 9 | 10 | 11 | 12 | 13 | 14 | 15 | 16 | 17 | 18 | 19 | 20 | 21 |
|---|---|---|---|---|---|---|---|---|---|---|---|---|---|---|---|---|---|---|---|---|---|
| 内蒙古自治区 | 1 | 包钢水厂 | 20.0 | 大 | 生产,生活 | 1 | | 能 | | △ | | | | | | | | | | 上游 | 黄河 |
| | 2 | 包头磴口水厂 | 5.0 | 中 | 生产,生活 | 2 | | 未投产 | 兰州院 | | △ | | | | | | △ | | | 上游 | 黄河 |
| | 3 | 包头黄河净水厂 | 18.0 | 大 | 生产,生活 | 3 | | 能 | 兰州院 | 包钢 | △ | | | | | | | | | 上游 | 黄河 |
| | | 合　计 | 88.0 | | | | | | | | | | | | | | | | | | |
| 陕西省 | | 延安水厂 | 1.2 | 小 | 生产,生活 | 1 | 加 | | | | | | | | | | | | | 中游 | 延河 |
| | | 合　计 | 1.2 | | | | | | | | | | | | | | | | | | |
| 山西省 | | 中条山有色公司 | 5.0 | 中 | 生产 | 2 | | 未建成 | 兰州院 | △ | △ | △ | | | | | | | | 中游 | 黄河 |
| | | 合　计 | 5.0 | | | | | | | | | | | | | | | | | | |
| 河南省 | 1 | 宜阳化肥厂 | 7.2 | 中 | 生产,生活 | 2 | 加 | 能 | 兰州院 | | △△ | △ | | | | | | | | 下游 | 南洛河 |
| | 2 | 480厂 | 1.3 | 小 | 生产 | 1 | 加 | 未建成 | 兰州院 | | △ | | | | | | | | | 下游 | 丹河 |
| | 3 | 郑州铝三水厂 | 10.0 | 大 | 生产 | 2 | 加 | 未建成 | | △ | | | | | | | | | | 下游 | 黄河 |
| | 4 | 郑州二水厂 | 10.0 | 大 | 生产,生活 | 2 | | 能 | | | | | | △ | | △ | | | | 下游 | 黄河 |
| | 5 | 柿园水厂 | 12.0 | 大 | 生产,生活 | 2 | | 未建成 | | | | | | △ | | △ | | | | 下游 | 黄河 |
| | 6 | 白庙水厂 | 2.0 | 小 | 生产,生活 | 2 | | 未建成 | | | | | | 二水厂来水 | | | | | | 下游 | 黄河 |
| | 7 | 开封水厂 | 25.0 | 大 | 生产,生活 | 2 | | 能 | | | | | | △ | | | | | | 下游 | 黄河 |
| | | 合　计 | 67.5 | | | | | | | | | | | | | | | | | | |

续表 3.1.1

| 1 | 2 | 3 | 4 | 5 | 6 | 7 | 8 | 9 | 10 | 11 | 12 | 13 | 14 | 15 | 16 | 17 | 18 | 19 | 20 | 21 |
|---|---|---|---|---|---|---|---|---|---|---|---|---|---|---|---|---|---|---|---|---|
| 山东省 | 胜利油田 | 5.0 | 中 | 生产、生活 | 2 | | | | | △ | | | △ | | | △ | | | 上游 | 黄河 |
| | 合计 | 5.0 | | | | | | | | △ | | | △ | | | △ | | | | |
| 总计 | 46个工程 | 292.4 ×10⁴m³/d | 大8个 | 生产34个 | 1级20个 | 加27个 | 已建成投产37个,其中按原设计能保证出水水质12个 | 其中兰州设计院23个 | | 11个 | 20个 | 10个 | | | | | | 水力3个 | | |
| | | | 中8个 | 生产10个 生活 | 1.5级3个 | 不加19个 | | | | | | 5个 | 6个 | 4个 | 6个 | 2个 | 3个 | | | |
| | | | 小30个 | 生活2个 | 2级23个 | | | | | | | | | | | | | 立式2个 | | |

### 第三节 两级沉淀处理流程

**第 3.3.1 条** 一、本规范中指的两级沉淀处理流程，是指在高浊度水处理时，常规的一级沉淀池无法处理，必须经过二级沉淀后，才能达到水质标准，工艺为加凝聚剂—混合——一级沉淀——加凝聚剂—混合——反应——二级沉淀——过滤等，对经过二级沉淀处理的工艺流程，本规范中称为两级沉淀；

二、条文中"适用条件"系指一点或几点，不一定是全部条件；

三、根据已建的46个工程分析，河南宜阳化肥厂和兰州西固水厂资料整理，在投加聚丙烯酰胺和普通凝聚剂后，水质可达滤前水质标准；

四、当用一级沉淀构筑物处理高浊度水时，只要保证浑液面不溢出，出水水质可保证在 $100\sim1000mg/L$，投加聚丙烯酰胺絮凝剂和自然沉淀后出水水质基本如此，在同时投加普通凝聚剂后才能保证出水水质，但需增加运行费用。在要求水质保证程度较高的工程采用两级沉淀为佳；

五、近年对生活用水中投加聚丙烯酰胺剂量已引起重视，国家水质卫生标准中已准备列入容许剂量。因此，在确定方案时应予考虑。目前若用规定的投加剂量来检验已建成的工程，则不少是超过允许标准的；

六、从已建工程的调查中，发现有些技术力量较薄弱的工厂附属给水工程，对河水检测、分析管理措施很弱，影响出水水质。

**第 3.3.2 条** 由于高浊度水含砂量很大，要求一级沉淀构筑物有较大的沉淀容积和较长的停留时间，并要求排泥方式方便可靠。

常用的一级沉淀构筑物根据表 3.1.1 统计资料归纳，辐流式沉淀池、平流式沉淀池、浑水调蓄水池兼作沉淀池等多用于水量较大的工程。近年来一些中、小型工程采用竖流式沉淀池、斜管沉淀池或其它改进型的水处理构筑物，也取得一定的成果。中国市政工程西北设计院也证实了在黄河兰州段投加聚丙烯酰胺是经济合理的结论。同时在西固二期、白银二水源等工程的方案比较中，在黄河支流洛河中取水的宜阳化肥厂，均证实是经济合理的。

**第3.3.3条** 在黄河其它河段采用聚丙烯酰胺是否经济的问题要进行方案比较后确定，并要考虑货源和毒性问题，以供水量10万 $m^3/d$ 的工程比较为例，比较一级沉淀池的部分费用；

采用聚丙烯酰胺净水方法时，基建费约250万元，十年药剂费650万元，共计为900万元；

采用自然沉淀净水方法时，基建费用约1000万元，无经常药剂费用。

由此可知，两者费用大体上是接近的，因而需技术经济比较确定。

**第3.3.4条** 由于黄河中、下游河段含砂量高，砂峰连续时间较长（一般大于 $100kg/m^3$ 含砂量有12d以上）并经常发生河道改道、断流现象，仅采用净化方案不能满足要求，宜修建调蓄水池。

蓄水方式有两种：

一、浑水调蓄水池兼作沉淀池，已建的工程有：郑州柿园水厂、郑州二水厂、开封水厂、胜利油田水厂、白银一水源等；

二、采用清水调蓄水池的有郑铝三水源、中条山有色金属公司（利用尾矿池调蓄）等工程。

# 第四章 水处理药剂

## 第一节 一般规定

**第 4.1.1 条** 一般地区的原水水质较清,普通药剂均能满足要求,在高浊度水地区原水含砂量较大,各种药剂有最大能处理的含砂量,本条将其列出作为设计参考,硫酸铝因处理高浊度水效果较差,本条未列。

资料来源于《聚丙烯酰胺处理黄河高浊度水》《净水凝聚剂的应用》《关于碱式氯化铝几个问题的讨论》和有关调查记录资料。

**第 4.1.2 条** 因高浊度水含砂量变化范围广,所需药剂种类较多,有时还因货源不固定,使采用的药剂品种变更频繁。因此,在药剂系统设计中必须防止药剂相互混杂而造成的事故。

资料主要来自兰州市自来水公司、西宁市自来水公司的生产经验和其它单位的室内试验成果。

**第 4.1.3 条** 随着我国科研工作的发展,目前试制成的新型人工合成和天然的高分子絮凝剂品种较多,在净化高浊度水中有较大的前途,但对新型凝聚剂鉴定的经验尚不足,本条主要是对新型高分子絮凝剂的使用提出要求。

## 第二节 聚丙烯酰胺溶液的配制

**第 4.2.1 条** 过去对聚丙烯酰胺需进行水解后再使用的问题重视不够,不仅降低效果而且浪费药剂。条文强调在用量较大的情况下,均应水解后使用。

**第 4.2.2 条** 由于各河段的水质不同,聚丙烯酰胺的最佳水解度应通过试验确定。因为影响聚丙烯酰胺水解度的因素较多,主要因素有:加碱比、溶液的浓度、水解时间和水解温度,宜通过试验确定。处理黄河兰州段水源的聚丙烯酰胺最佳水解度为30%，加碱质量比（水解比）为固体氢氧化钠（工业产品）：聚丙烯酰胺（8%浓度的商品），目前自行水解的使用水解比宜为0.02~0.05：1，在水温20℃时，水解时间为4~7d。加大水解比可以缩短水解时间，具体可按生产需要调整。水解后0.8%浓度的聚丙烯酰胺溶液可存放2~3年，基本不降低效果。

本条文提出的数值，系根据兰州市自来水公司、西安冶金建筑学院、哈尔滨建筑工程学院、中国市政工程西北设计院等单位的科研成果而编写。

**第4.2.3条** 干粉聚丙烯酰胺产品系白银有色金属公司选矿药剂厂新产品，据青海西宁自来水公司等单位资料证明，干粉投量少，使用方便，而且单体含量低，是处理高浊度水的有效凝聚剂品种之一。

**第4.2.4条** 一、干粉和胶体聚丙烯酰胺产品均需用搅拌罐机械搅拌溶解，如产品规格和性能改变，则溶解方法应相应变化；

二、干粉聚丙烯酰胺用20~40目的格网筛选进入搅拌罐，可以防止干粉产生"鱼眼"（中间是92%浓度的干粉，外面是8%浓度的胶体形成"鱼眼"），是西宁自来水公司提供的资料；

三、西固水厂采用整桶聚丙烯酰胺倒入搅拌罐，经格栅分割的方法是可行的，一些搅拌功率较小的搅拌罐可考虑剪成碎块加入罐内；

四、西宁市自来水公司采用干粉搅拌0.7h，西固水厂采用胶体，搅拌周期为1h。有些单位采用胶体需1.5~2h，本规范配制周期为小于2h。

**第4.2.5条** 本条根据中国市政工程西北设计院"三号絮凝剂搅拌设备设计"编写。

**第4.2.6条** 投药间能力的计算方法根据兰州西固水厂三号药剂间的方案比较编写，据调查：

采用方法一的有青海西宁西川水厂，兰州窑街水厂等；

采用方法二的未见；

采用方法三的有西固水厂、郑铝三水源等。

**第 4.2.7 条** 西固水厂投药间的设计中，原未考虑使用氢氧化钠，投产后用氢氧化钠水解就产生氨味、腐蚀等问题。本条内容综合运行经验编写。

**第 4.2.8 条** 本条是根据西固水厂等单位的经验编写。

### 第三节 聚丙烯酰胺的投加方法和剂量

**第 4.3.1 条** 根据中国市政工程西北设计院等单位多次试验和生产测定结果，证明采用聚丙烯酰胺和普通凝聚剂顺序投药投量省，效果佳，尽量避免聚丙烯酰胺和普通凝聚剂同时加入。

根据试验和生产测定资料证实，在相同投量时，以投入稀浓度的聚丙烯酰胺效果较佳，故投加时利用提升设备同时吸入清水稀释是合适的。

**第 4.3.2 条** 根据调查和试验资料，大多数工程项目均采用条文所提出的配制浓度和投加浓度，效果较佳。投加浓度与处理水量有关，投剂量大时宜用较大的浓度数值。

由于聚丙烯酰胺溶液的阻力较小，采用清水标定的计量设备，在投产过程中均需重新标定，西固水厂三号药剂间采用 60°三角堰计量，根据实测当堰口水深 8cm 时，通过的聚丙烯酰胺溶液（浓度为 2%）的流量比通过水多 50% 左右。

**第 4.3.3 条** 黄河在不同含砂量时，聚丙烯酰胺投量和加药后浑液面沉速的关系，近十余年来兰州市自来水公司、中国市政工程西北设计院、西安冶金建筑学院、洛阳有色金属加工设计院、白银公司动力厂等单位在兰州、白银、咸阳、垣曲、郑州、延安等地进行了测定研究，取得了一定结果。由于这一问题涉及因素较多，有条件时应通过试验确定。

**第 4.3.4 条** 本条根据兰州市自来水公司和兰州市政工程设计院的测定结果编写。

**第 4.3.5 条** 本条根据兰州医学院等单位的研究成果及参照

国内外有关文献和资料，并采用了 1982 年 6 月经卫生部全国卫生标准技术委员会环境卫生分委会讨论通过的聚丙烯酰胺和丙烯酰胺最大允许浓度值。

**第 4.3.6 条** 本条根据调查编写。经调查发现当聚丙烯酰胺的投剂量超过规定投量较大时，会产生不良影响，如：

一、兰州第一毛纺厂发生离子交换器结块堵塞现象；

二、西川水厂发生滤池滤料结块现象。

# 第五章 沉淀（澄清）构筑物

## 第一节 一般规定

**第 5.1.1 条** 本条是根据现行的《室外给水设计规范》（GBJ 13）的公式改写。

处理高浊度水时，应考虑下列因素：

一、高浊度水处理时，排泥水量很大，因此应满足相应的处理构筑物在排泥时的供水要求；

二、出水设计含砂量（$M_1$），有时数值较大，不应忽略；如兰州西固水厂、包头水厂预沉池出水含砂量设计值为 $2.0 \sim 8.0 kg/m^3$。

**第 5.1.2 条** 本条根据包钢等给水工程的运行经验编写。

**第 5.1.3 条** 根据中国市政工程西北设计院水旋澄清池等试验报告编写。

**第 5.1.4 条** 本条根据中国市政工程西北设计院工程设计的运转经验编写，如该院设计的兰州石油化工机械厂的 $d=6.9m$ 加速澄清池，原未设刮泥机，故排泥困难，增设刮泥机械后效果较好。此后，该院设计的 $d=8.4m$ 至 $d=25m$ 加速澄清池，所有的辐流式沉淀池均设有刮泥机，效果良好。

兰州第一毛纺厂、河南宜阳化肥厂给水原预沉池排泥均用排泥泵房，排泥困难，在扩建中均改成自流排泥。在高浊度水处理中，由于原水变化幅度大，经常给运转带来不便和造成不良后果。根据调查资料证明，设置事故排放管给运转管理提供方便。

## 第二节 沉砂池

**第 5.2.1 条** 根据兰州市自来水公司、中国市政工程西北设计院和山西省水科所等试验资料和生产运行数据证明，沉砂池去除粒径一般在 0.1mm 以上，去除效率为 10~20%。

**第 5.2.2 条** 本条根据第 5.2.1 条所列的研究设计单位生产运行和试验资料编写。

### 第三节 混合、絮凝池

**第 5.3.1 条** 本条根据中国市政工程西北设计院设计的工程，并经投产运转后测定的数据编写。在测试处理高浊度水时，当使用聚丙烯酰胺混合时间超过 0.5min、混合效果较差。兰州市自来水公司和哈尔滨建筑工程学院的科研成果也证实了以上论点。故本规范采用 10~30s 的数据。

**第 5.3.2 条** 根据中国市政工程西北设计院、兰州市自来水公司和西宁室内模型试验等资料，证明只投加聚丙烯酰胺不需要专门的反应设备。兰州西固水厂辐流式沉淀池预沉池生产运行观测，经过水泵混合后，未设专用反应设备，只在输水管中停留 1~3min 就进入辐流式沉淀池，效果良好。西宁西川水厂渠道预沉也未设反应设备，混合后经过 1~2min 水流稳定后泥渣即迅速下沉。因此，本条规定，单独使用聚丙烯酰胺絮凝剂时，可不设反应池。

### 第四节 辐流式沉淀池

**第 5.4.1 条** 按照辐流式沉淀池的特点宜用于预沉（即一级沉淀池）构筑物。因与反应池不易配合，造成沉淀效率较低，不宜用作二级沉淀池。

国内采用辐流式沉淀池的工程有 15 个，其中建成的有 12 个，共 34 座池；拟建的有 3 个，共 6 座池。

辐流式沉淀池采用自然沉淀，其效率较低，若投加聚丙烯酰胺则效率可成倍增加，数值根据生产运行资料已列入条文，但具体采用何种沉淀方式，应根据工程具体条件选用。

**第 5.4.2 条** 条文中采用的公式由北京市市政工程研究所推导，发表在 1965 年《高浊度水自然沉淀池的水力计算方法》一文中，北京市市政工程研究所经过多年的室内模型试验，考虑了高浊度水的流态、沉降特性、自凝性能以及浑水层的形成和平衡等因素，推导了该公式，并经过生产实测数据校核，较符合实际。

**第5.4.3条** 本条根据表3.1.1的15个工程的辐流式沉淀池数据整理（主要是根据直径为50m以上的辐流池数据整理），对50m以下的池子在设计时宜采用较小的数值。

**第5.4.4条** 一、本条根据西固水厂、包钢水厂、白银水厂二水源的运行经验编写。

二、进水管的高处应装排气阀门，若用自动排气阀门如水压过低，则不能顶开而无效；

三、进水的计量设备要防止泥砂堵塞，常用的有文氏喷嘴（或孔板，但必须有不让泥砂进入的清水反冲管）和电磁流量计；

四、进水管应设放空管。一则便于放空后进入检修，再则可以防止冬季在进水喇叭口处冻结，影响明春投产。

**第5.4.5条** 由于辐流式沉淀池的池径较大，结构的整体性差，渗漏情况较为严重，西固水厂的池子开始投产时，曾因渗漏而无法正常运行，经改进后才逐步正常。本条根据上述经验编写。

**第5.4.6条** 目前变断面的孔口淹没出流或三角堰自由出流两种出水形式均有采用，但各有利弊，要根据具体情况选用。

增加超高有利于沉淀池的操作灵活性和节省电耗。

### 第五节 平流式沉淀池

**第5.5.1条** 本条主要是根据已建的工程：郑州柿园水厂、开封水厂、胜利油田水厂、西宁二水厂、白银一水厂、青海造纸厂等投产运行的数据总结编写。资料表明，自然沉淀的水厂、平流式沉淀池沉淀时间一般可小于6h；投加聚丙烯酰胺的混凝沉淀平流式沉淀池沉淀时间可小于2h。

**第5.5.2条** 本条根据西宁二水厂和青海造纸厂等投加聚丙

烯酰胺絮凝剂的平流式沉淀池和预沉渠道的生产运行数据，实测的水平流速一般都大于10mm/s，但考虑到黄河中、下游稳定泥砂浓度较高，另外管理水平等原因，故采用条文中的数值。

**第5.5.3条** 本条文主要根据测定资料编写。在沉淀池中采用变断面的淹没孔口出流和三角堰自由出流配水均匀、处理效果较好、出水均匀可以防止高浊度水中异重流外溢，对处理高浊度水更有实用意义。

**第5.5.4条** 平流式沉淀池排泥是该池最薄弱的环节，高浊度水处理保持池内泥渣平衡是保证处理的必要条件，而排泥畅通又是保证池内泥渣平衡的根本手段。因此，本条不仅强调了排泥的方法和排泥的重要性，而且列入进出水系统等可能影响排泥畅通的因素，以便更好地解决平流式沉淀池的排泥问题。

### 第六节 机械搅拌澄清池

**第5.6.1条** 机械搅拌澄清池作为一级处理高浊度水构筑物，中国市政工程西北设计院设计投产的共有六处，其设计进水含砂量为15～20kg/m³，个别曾达50～70kg/m³，运转情况良好，但实测资料较少。宜阳化肥厂第一期工程的加速池曾处理最高含量为20～35kg/m³；二期工程的水力喷动加速池最高可处理50～70kg/m³，个别曾达90～100kg/m³。

**第5.6.2条** 本条是根据中国市政工程西北设计院和其它设计院调查的机械搅拌澄清池在高浊度水地区处理情况的总结编写。最高进水含砂量见第5.6.1条说明，出水浊度可达到20度以下，但系统测定资料较少。西宁电化厂出水50度以下，宜阳化肥厂一期工程出水小于20度，个别达100度。二期工程仅投加聚丙烯酰胺，出水浊度为100～200度，个别为500度。

**第5.6.3条** 中国市政工程西北设计院设计、投产的机械搅拌澄清池均设有刮泥机，效果良好。兰州石油化工机械厂原设计没有刮泥机，使用后发现排泥效果欠佳，后由建设单位增建。

处理高浊度水的机械搅拌澄清池，池壁排泥斗在使用中，经常排泥浓度达不到池内泥渣平衡的要求。中国市政工程西北设计院在近几年来，设计不带池壁排泥斗的池型，运行效果尚可，无不良反应。

**第 5.6.4 条** 依据河南宜阳化肥厂一期加速池的运行经验，发现在池内第一絮凝室增设第二投药点，不但可以提高处理含砂量的范围，而且当发生事故时，还可以缩短处理的停留时间，提高出水水质，后又经宜阳二期工程和青海等厂加速池验证，证明效果较佳。

**第 5.6.5 条** 高浊度水投加聚丙烯酰胺絮凝剂后，第一絮凝室沉泥多，为提高这部分泥渣的浓度宜适当加大第一絮凝室面积，但也不宜过大，以照顾处理低浊度原水水质的要求，进水含砂量高时，如河南宜阳化肥厂二期工程的加速池，采用直壁池型，在投加聚丙烯酰胺时，曾处理过 $70\sim90kg/m^3$ 的进水含砂量，分析其原因认为该池泥渣浓缩面积和体积较大是一个重要的因素。

### 第七节　水旋澄清池

**第 5.7.1 条** 本条主要根据"水旋澄清池试验报告"（1971年原甘肃省建筑勘察设计院）、"XB-1 型水旋澄清池"（1975年，原甘肃省建筑勘察设计院）编写。

工程实践中水旋澄清池最大池径 16.5m，池深 7m，池径再大，则池深就会过深，故本条规定适用于中、小型给水工程。

**第 5.7.2 条** 本条的依据同第 5.5.1 条的说明，表 5.7.2 所列的设计参数，1975 年经调查复核，主要指标均能达到设计值。

**第 5.7.3 条** 根据中国市政工程西北设计院的 903 厂排泥试验，采用分段穿孔排泥管（每段管长约 4m），泥渣基本可排除，但远端仍有积泥，穿孔管排泥需勤观察、勤操作。采用机械刮泥机，池内无积泥现象。因此，调查结果认为大直径的水旋池在分离区下部设置刮泥机是必要的。

## 第八节 双层悬浮澄清池

本节主要依据"原西北给水排水设计院1964年悬浮澄清池试验小结和设计规定"、1965年中南、西北两水院合编的"悬浮澄清池设计暂行规定"的内容编写。

## 第九节 调蓄水池

**第5.9.1条** 采用大型调蓄水池的工程，大部分使用单位都采用浑水调蓄水池，如兰州白银公司给水、胜利油田水厂、开封水厂与郑州水厂，采用清水调蓄水池的只有河津铝厂水厂。采用大型调蓄兼一级沉淀池，开封利用湖泊，白银为较差的旱地开挖，胜利油田水厂为较差盐碱地开挖而成，郑州水厂为山丘的低产地开挖，本条所提旧河道等还没有实例，只是考虑可以利用的条件之一。

**第5.9.2条** 确定兼作一级沉淀池的大型调蓄水池或水库的容积时，所需考虑的因素，尚无明确的成文资料。

**第5.9.3条** 大型调蓄水池兼作一级沉淀池时的出水水质，主要依据开封和白银水厂的资料编写。开封水厂沉淀时间长，出水水质为100～200度；白银水厂当积泥多时，停留时间约2d，出水水质亦可达100～200度。

**第5.9.4条** 根据调查，现有的池子都用吸泥船排除积泥。

**第5.9.5条** 根据河津铝厂的设计资料，清水调蓄池可按第5.8.2条等条件进行设计。

**第5.9.6条** 本条是根据中国市政工程西北设计院和其它设计院的调查资料编写，由于调蓄水池的工程基础较差，水量渗漏严重，造成调蓄水池周围地下水位回升，盐碱化现象较严重，为了解决这个问题，已越来越引起有关方面的重视，目前采用的办法，基本上是本条列的内容。

# 第六章 排 泥

## 第一节 一 般 规 定

**第6.1.1条和第6.1.3条** 系原则和一般规定。

**第6.1.2条** 在高浊度水的条件下，辐流式或平流式自然沉淀池的沉淀方式，多为异重流沉淀。当原水砂峰持续时间大于沉淀池停留时间时，异重流将从进水口流经全池，并在沉淀池末端壅高反射，以浑液面上升的形式进行沉淀，在这种情况下，沉淀分布应当是基本均匀的，西固水厂的运行经验和几次简单的测定也表明自然沉淀池可按均布考虑。

对于含砂量较低，泥砂组成较粗的砂峰，由于粗粒泥砂分选作用强烈，沉积在沉淀池入口处的泥砂量较多，沉泥将出现梯形或三角形分布。

由于梯形或三角形分布对刮泥机的工作不利，因而可根据设计含砂量情况下的不沉粒径，绘制分选沉降的三角形积泥分布曲线，对刮泥机的工作进行校核计算。

机械搅拌澄清池等混凝沉淀构筑物，投加聚丙烯酰胺后第一絮凝室底部大量积泥，中国市政工程西北设计院在以往的机械设计中沉泥断面按三角形分布考虑。

**第6.1.4条** 根据开封等地的资料编写。开封市利用黑池中沉淀的泥砂排至黄河大堤黑岗口险工段，分六个淤区淤背固堤，效果良好。"其他综合利用"包括烧砖，据开封资料，一座年产1200万块砖的制砖厂，年用土量10万 $m^3$，为预沉池排泥的综合利用提供了经验。

## 第二节 泥渣浓缩设计参数

**第6.2.1条** 浓缩时间不宜小于1h，系指计算泥渣浓缩容积时间不小于1h，此值已在许多工程设计中采用。泥渣浓缩区平均浓度按排泥浓度考虑。

**第6.2.2条** 据西固水厂自然沉淀资料。经1h浓缩后，可达380~400kg/m³，但实际排泥浓度为150~300kg/m³。据中国市政工程工程西北设计院与兰州铁道学院、兰州市自来水公司试验资料，在含砂量较高（100kg/m³左右）时，斜管自然沉淀池的连续排泥浓度可达244kg/m³。

大型调蓄水池的积泥浓度差别悬殊，可在600~1350kg/m³的广大范围内变化，其主要影响因素是颗粒组成、沉淀浓缩时间和排泥方法。文中的600~1350kg/m³，其低限为试验浓缩10d以上的资料，1350kg/m³为郑州水厂初步设计资料，如有条件，应选用有代表性的原水进行沉降试验，同时测定其积泥浓度随浓缩时间的变化情况，取相应浓缩时间的浓度资料。由于泥砂颗粒组成对积泥浓度影响很大，在缺乏资料的情况下，也可用下列的拉腊公式对积泥浓度进行计算。

$$M_4 = a_c + P_c + a_m P_m + a_s P_s$$

式中　$P_c$——原水中泥砂粒径$d<0.004$mm的含量百分数；

　　　$P_s$——原水中泥砂粒径$d>0.062$mm的含量百分数；

　　　$P_m$——原水中$0.004$mm$<d<0.062$mm的含量百分数；

$a_c$、$a_m$、$a_s$为统计了千余个淤积砂样的经验系数。

分别为：$a_c=417$

　　　　$a_m=1123$

　　　　$a_s=1558$

投加聚丙烯酰胺时，第一小时浓缩较快，西安冶金建筑学院认为设计排泥浓度可取300~350kg/m³，考虑到排泥水稀释等因素，本规范规定为200~300kg/m³。

### 第三节　刮泥设备

**第6.3.1条** 刮泥机设计，中国市政工程西北设计院均按连续运转考虑，在实际运行中应逐步积累间歇运行的经验和数据。

**第6.3.2条** 刮泥机型式根据中国市政工程西北设计院1978年的调查报告,"圆形澄清池几种刮泥机的设计和使用总结"编写。

周边传动桁架刮泥机,中国市政工程西北设计院设计的池型,最大直径为100m,最小直径为30m,中心传动式刮泥机最大刮臂直径为21.74m,鞍山钢铁公司烧结总厂使用的为$\phi$20m,某军工厂使用的为$\phi$30m,无级绳传动的为21.9m,针齿传动的直径为14.2m,齿圈传动筒体旋转式刮臂直径为15.68m。

中心传动刮泥机,我国在标准型加速澄清池的设计应用中已取得了一定经验。北京市市政工程设计院在加速澄清池标准图的机械设计中已进行了较为系统的调查总结,并对定额处理水量200t/h,320t/h,430t/h和600t/h,进行了该种传动形式的标准设计。对于针齿传动刮泥机,在机械搅拌澄清池的标准设计中也有定额处理水量为800t/h,1000t/h,1330t/h和1800t/h的标准设计图,该标准图中,刮泥机为齿轮针齿盘外啮合传动形式,齿轮与针齿盘均在第一絮凝室内,在水中各轴承耐磨件,采用铜及尼龙,皆用压力清水润滑,驱动装置在池平台上,选用XLED型减速机。

对于无级绳传动刮泥机,虽然构造简单,但因需不锈钢钢丝绳,货源很难解决。且因绳轮多,安装松紧和角度不当,常有卡绳事故。另因外传动件设计不够完善,有绳脱槽等问题,使用时必须注意妥善解决,未编入本规范。

**第6.3.3条** 刮臂外缘线速度,中国市政工程西北设计院常用2.5～5m/min,效果尚可,西固水厂$\phi$100m辐射池有时半小时旋转一周,线速约10m/min,效果亦可,故上限采用10m/min。

**第6.3.4条** 宜阳化肥厂给水无级绳传动刮泥机开始未加压力润滑清水稳压设备,发现刮泥机被压力润滑水顶起,后加以稳压,效果良好。另据北京市市政工程设计院调查资料,针齿盘传动、无级绳传动等水下润滑轴承所需压力水,要求压力稳定,且应安装压力表,以监视压力稳定情况。

**第 6.3.5 条** 根据西固水厂宜阳化肥厂等刮泥机运行经验而编写。

**第 6.3.6 条** 宜阳化肥厂二期给水 $\phi$22mm 池子排泥浓度较低。究其原因,是泥浆在排泥沟内再集中至排泥口时受到稀释的缘故。因而在采用排泥沟时,应对泥渣向排泥口的再集中问题进行妥善处理。

**第 6.3.7 条** 中国市政工程西北设计院设计中采用底坡范围为 0.05～0.15,实际运行中未发现问题。

**第 6.3.8 条** 计算刮泥机功率时,积泥浓度取高限。连续刮泥按浓缩 1h 考虑,据兰州西固水厂资料,浓缩 1h 为 380kg/m³,西安冶金建筑学院在中条山的试验中,进水含泥量最低为 52kg/m³ 时,最高为 575kg/m³,通常为 300～400kg/m³。对间歇排泥,西固水厂自然沉淀最高达 900kg/m³。加聚丙烯酰胺,中国市政工程西北设计院模型试验高值可达 600kg/m³,按 903 厂运转资料,有的达 800kg/m³,当积泥浓度达到 800kg/m³ 时,流动已十分困难。据沩水资料,当沉淀池底坡为 1‰ 时,800kg/m³ 的积泥已难于流动。因而该条数据仅可在刮泥机计算时应用。

## 第四节 泥渣排除

**第 6.4.1 条** 本条与第 6.2.1 条相互呼应。

本条主要说明积泥浓度与排泥浓度是构筑物中两个不同的数值,为了简化计算,本条在常用的自然沉淀和混凝沉淀中,用排泥浓度代替平均积泥浓度,用此数值是安全的,计算泥渣浓缩时也是合理的。但对排泥浓度而言,150kg/m³ 数值偏低,故本条规定为 200～300kg/m³。

**第 6.4.2 条** 兰州第一毛纺厂、宜阳化肥厂给水工程(一期)曾设排泥泵房,效果都不好,后均改为自流排泥。

**第 6.4.3 条** 高浊度水沉淀池的排泥闸门普遍采用快开式,效果良好。快开闸前多设有调节维修闸,也有用行程开关控制排泥闸门开启度以控制排泥流量。

**第 6.4.4 条** 泥斗坡度实质上是用一定的斜面来克服泥砂因摩擦力而堆积的问题。根据泥砂在水下休止角的关系，当倾角大于 60°且辅以压力水冲泥，是可行的。窑街给水采用的排泥斗辅以压力冲泥，排泥效果良好。

**第 6.4.5 条** 高浊度水沉淀池采用穿孔排泥管在西北地区效果较差。903 厂改建中增加穿孔管排出口数目，使一根穿孔管长度减到 4m，运转中发现穿孔管远端积泥仍不能排净，故不推荐使用。据 1971 年调查，宜滨化工厂 $\phi$23.38m 机械搅拌澄清池一絮凝室 $\phi$250mm 环形穿孔管排泥效果尚好。这与穿孔管直径较大有关。故本条规定穿孔排泥管直径不小于 200mm。

**第 6.4.6 条** 设计排泥浓度不能取用过大的数值，以便设计时有足够的排泥水量，但在运转中会因间歇排泥而出现排泥浓度过高的情况，如西固水厂辐流自然沉淀池最高排泥浓度达 800~900kg/m³，903 厂澄清池排泥浓度在投加聚丙烯酰胺的情况下也达 800kg/m³，因而对重力自流排泥管的排泥通过能力要按 800kg/m³ 的浓度进行校核计算。

运行中，随着原水含砂量的降低，排泥流量（通过排泥闸的控制）也将减少，排泥流量较小时其输砂能力较低，因而在有条件的情况下，排泥管底坡应适当加大，1%的数字为参考矿浆输送的要求而制定。

近年来水利部门对高含砂输水的设计计算方法也有不少研究成果，其中陕西省水利科学研究所的浑水明渠流挟砂能力公式，经验证，具有一定的代表性，可用以检验渠道能否通过高浊度排泥水：

$$\frac{V\lambda}{\nu} = 0.000584$$

式中　$V$——流速（m/s）；

　　　$\lambda$——底坡；

　　　$\nu$——泥砂平均沉速（mm/s）。

## 第五节 吸 泥 船

**第6.5.1条** 郑州、开封、白银、胜利油田水厂大型调蓄预沉池均采用吸泥船排泥。使用吸泥船工作可靠，排泥浓度较高，通常均为200kg/m³以上。包钢平流式沉淀池采用可调式高压水冲泥管，排泥浓度为150～250kg/m³。

**第6.5.2条** 据原建工部给排水设计院吸泥船调查报告，吸泥时间利用率采用70%～80%，每月作业天数23～25d。

**第6.5.3条** 上述吸泥船调查报告中曾推荐对池子积泥容积、沉泥量、吸泥量之间进行综合平衡计算。本条则明确提出年调节与洪水期调节两种工作制度，根据不同情况，进行调节计算。

包头黑色冶金设计院根据包钢平流池运转经验提出必要时应以最高月含砂量校核吸泥船的排泥能力，这与平流池储泥容积较小有关。

**第6.5.4条** 设计大砂年的选择标准，原给排水设计院调查报告中推荐频率为20%，经调研认为其标准应适当加大，故本条规定为10%～20%。

**第6.5.5条** 吸泥船排泥浓度变化较大，特别是与操作有关，根据上述吸泥船调查报告资料，90m³/h型号吸泥船排泥浓度100～300kg/m³；20m³/h型号和北京号（250m³/h）排泥浓度低且很不稳定，其值约20～100kg/m³，最高160kg/m³。这与吸泥机采用高压水冲泥也有一定关系。对于绞吸式吸泥船，其排泥浓度一般在200kg/m³以上。山东河道局自制吸泥船，虽用水枪冲泥，其排泥浓度也在200kg/m³以上。鉴于目前吸泥船的改进，故本条规定为200kg/m³左右。

**第6.5.6条** 调查资料证明，吸泥船应使用电力作为动力，管理方便、效果较好；尤其在北方寒冷地区，使用电力效果更为明显，故列本条的规定。

除吸泥船外，山西省水利科学研究所在田家湾水库完成了水力吸泥机的试验,经数年试验运行,效果很好。该水力吸泥机在吸泥管道上安装喷嘴和绞刀以粉碎淤泥,用水库的静水头作为吸泥动力,在有地形条件可资利用的工程中也可使用。据田家湾水库清淤资料,在水头为9m时,泥浆在管道中的流速约为2.5m/s,排出泥浆浓度约450kg/m$^3$。当泥浆浓度超过1200kg/m$^3$时,将发生淤堵现象。水力吸泥由于利用调蓄水池与排泥口的水位差排泥,因此水力吸泥动力耗费小,排泥费用低。

**第6.5.7条** 调研资料证实,吸泥船的压力排泥管道布置不当,将直接影响吸泥船的使用效果,尤其是两条吸泥船共用一条排泥管,效果更差,故本条文规定为"宜单独设置排泥管"的要求。

## 附 录

### 黄河高浊度水分布概况

<table>
<tr><th colspan="2">内容 / 河段</th><th>上 游 段</th><th>中 游 段</th><th>下 游 段</th></tr>
<tr><td colspan="2">河段起点</td><td>青海省约古宗列渠</td><td>内蒙古河口镇</td><td>河南省孟津</td></tr>
<tr><td colspan="2">河段终点</td><td>内蒙古河口镇</td><td>河南省孟津</td><td>山东省入海口</td></tr>
<tr><td colspan="2">河段长度（km）</td><td>3472</td><td>1122</td><td>870</td></tr>
<tr><td colspan="2">河段终点集水面积（km²）</td><td>385966</td><td>694730</td><td>452443</td></tr>
<tr><td colspan="2">河段终点年平均输砂量（0.1Gt）</td><td>1.67</td><td>13.4</td><td>12</td></tr>
<tr><td colspan="2">河流含砂量变化规律</td><td>年平均含砂量沿水流逐步增加至河口镇接近7kg/m³，自贵德起开始出现高浊度水，至靖远含砂量最高达到382kg/m³，砂峰逐步塌落，到河口镇仅40kg/m³左右</td><td>沿河接入数十条含砂量很大的支流，年平均含砂量到陕县为最高，达1.6Gt，最大含砂量达37.7kg/m³以上，年输入砂量500kg/m³以上，又门、龙门接近1000kg/m³</td><td>泥砂在河道里淤积，至海口年平均含砂量为24kg/m³左右，年输沙量减少到1.2Gt，最大含砂量亦逐步降低到200kg/m³左右</td></tr>
<tr><td rowspan="4">黄河主流</td><td>最大含砂量<100kg/m³的站名</td><td>黄河沿、吉迈、玛曲、小川、石嘴山、渡口、包头头道拐、贵德、三湖河口</td><td></td><td>花园口、夹河滩、高村、孙口、艾山、洛口、利津</td></tr>
<tr><td>最大含砂量100～500kg/m³的站名</td><td>上诠、兰州、安宁渡、下河沿、青铜峡</td><td colspan="2">河 曲</td></tr>
<tr><td>最大含砂量>500kg/m³的站名</td><td></td><td>又门关、龙门、潼关、小浪底、峡、砂蔡铺、吴堡、陕县、延水、三门</td><td></td></tr>
<tr><td>>100kg/m³砂峰的延续情况</td><td>均在7、8月份出现，延续时间不超过一天</td><td>均在7、8、9月份出现，砂峰频繁，>100kg/m³的天数随水流增加，至三门峡站最长达21d</td><td>均在7、8、9月份出现，砂峰较频繁，>100kg/m³的天数的天数，以花园口最长为12d，然后逐步减少</td></tr>
</table>

35

续表

| | 苦迈河 | | 大汶河 |
|---|---|---|---|
| 不出现高浓度水的支流 | 隆务河、大夏河、洮河、北川河、大通河、湟水（民和以上河段） | 海流兔河、汴水河、文峪河、洛河、千河、石头河、黑河、涝河、沣河、潏河、霸河、葫芦河 | 伊洛河、伊河、洛河、涧河、沁河、丹河 |
| 年平均含砂量10～100kg/m³ 最大含砂量达数百 kg/m³ 的支流 | 湟水（民和以下河段）、庄浪河、昆都仑河、大黑河 | 榆溪河、红河、汾川河、西洛河、汾河、潇河、渭河、藉河、漆水河、洲河、合水川、黑河、三水河 | |
| 年平均含砂量>100kg/m³（个别年平均≈500kg/m³）最大含砂量>1000kg/m³（个别最大含砂量达1700kg/m³）的支流 | 祖厉河、清水河、苦水河 | 无定河、大理河、偏关河、朱家川、岚漪河、秋水河、三川河、屈产河、昕水河、皇甫川、窟野河、秃尾河、清涧河、延河、散渡河、葫芦河、泾河、洪河、蒲河、西川、马连河、北洛河、东川 | |

黄河支流